CHEITO
CUENTOS MARAVILLOSOS

Primera edición: 2010 – 2012

ISBN OBRA COMPLETA:...............978-958-8322-42-1
ISBN VOLUMEN 2:.....................978-958-8322-45-2

Director Creativo: Oscar León

Ilustraciones manuales: Carlos Daniel Ardila Mateus

Ilustraciones digitales: Xiomara Romero
                         Sofia López
                         Oscar León

Diagramación: Xiomara Romero
              Sofia López

Corrección ortográfica: Licenciado Olegario Ordóñez Díaz

Hecho el Depósito Legal Art.25 del decreto 460 de 1995
Biblioteca Nacional de Colombia
Biblioteca del Congreso de la República de Colombia
Biblioteca Central de la Universidad Nacional de Colombia.
Dirección Nacional de Derechos de Autor.
Ministerio del Interior y de Justicia.

Plan de edición: Mario Ignacio Galvis M.
Compilador: Mario Ignacio Galvis M.
Edición e Impresión:

MUNDO LITOGRAFICO
        Editorial Educativa Ltda.

Editado e impreso en Bogotá, D.C. – Colombia

PROLOGO

CHEITO CUENTOS MARAVILLOSOS es una colección de cinco libros que pretende incentivar la lectura en los niños de una forma didáctica, con ilustraciones y las mejores historias de los cuentos infantiles.

En cada historia encontrara dibujos para colorear que ayudaran a el niño a tener una mayor comprensión de cada lectura.

Este libro es una herramienta eficaz para orientar al estudiante en su apertura hacia el camino de la lectura.

MUNDO LITOGRÁFICO
Editorial Educativa Ltda.

ÍNDICE

EL PATITO FEO

Hans Christian Andersen

¡Qué hermosa estaba la campiña! Había llegado el verano: el trigo estaba amarillo; la avena, verde; la hierba de los prados, cortada ya, quedaba recogida en los pajares, en cuyos tejados se paseaba la cigüeña, con sus largas patas rojas, hablando en egipcio, que era la lengua que le enseñara su madre.

Rodeaban los campos y prados grandes bosques, y entre los bosques se escondían lagos profundos.

¡Qué hermosa estaba la campiña! Bañada por el sol levantábase una mansión señorial, rodeada de hondos canales, y desde el muro hasta el agua crecían grandes plantas trepadoras formando una bóveda tan alta que dentro de ella podía estar de pie un niño pequeño, mas por dentro estaba tan enmarañado, que parecía el interior de un bosque.

En medio de aquella maleza, una gansa, sentada en el nido, incubaba sus huevos. Estaba ya impaciente, pues ¡tardaban tanto en salir los polluelos, y recibía tan pocas visitas!Los demás patos preferían nadar por los canales, en vez de entrar a hacerle compañía y charlar un rato.

Por fin empezaron a abrirse los huevos, uno tras otro. «¡Pip, pip!», decían los pequeños; las yemas habían adquirido vida y los patitos asomaban la cabecita por la cáscara rota.
— ¡Cuac, cuac! — gritaban con todas sus fuerzas, mirando a todos lados por entre las verdes hojas. La madre los dejaba, pues el verde es bueno para los ojos.

— ¡Qué grande es el mundo! —exclamaron

los polluelos, pues ahora tenían mucho más sitio que en el interior del huevo.

— ¿Creéis que todo el mundo es esto? —dijo la madre—. Pues andáis muy equivocados. El mundo se extiende mucho más lejos, hasta el otro lado del jardín, y se mete en el campo del cura, aunque yo nunca he estado allí. ¿Estáis todos? —Prosiguió, incorporándose—. Pues no, no los tengo todos; el huevo gordote no se ha abierto aún. ¿Va a tardar mucho? ¡Ya estoy hasta la coronilla de tanto esperar!

—Bueno, ¿qué tal vamos? —preguntó una vieja gansa que venía de visita.

— ¡Este huevo que no termina nunca! —respondió la clueca—. No quiere salir. Pero mira los demás patitos: ¿verdad que son lindos?

Todos se parecen a su padre; y el sinvergüenza no viene a verme.

—Déjame ver el huevo que no quiere romper —dijo la vieja—. Créeme, esto es un huevo de pava; también a mi me engañaron una vez, y pasé muchas fatigas con los polluelos, pues le tienen miedo al agua.

No pude con él; me desgañité y lo puse verde, pero todo fue inútil. A ver el huevo. Sí, es un huevo de pava. Déjalo y enseña a los otros a nadar.

—Lo empollaré un poquitín más dijo la clueca—. ¡Tanto tiempo he estado encima de él, que bien puedo esperar otro poco!

—¡Cómo quieras!—contestó la otra, despidiéndose.

Al fin se partió el huevo. « ¡Pip, pip!» hizo el polluelo, saliendo de la cáscara. Era gordo y feo; la gansa se quedó mirándolo:

— Es un pato enorme —dijo—; no se parece a ninguno de los otros; ¿será un pavo? Bueno, pronto lo sabremos; del agua no se escapa, aunque tenga que zambullirse a trompazos.

El día siguiente amaneció espléndido; el sol

bañaba las verdes hojas de la enramada. La madre se fue con toda su prole al canal y, ¡plas!, se arrojó al agua.

«¡Cuac, cuac!» —gritaba, y un polluelo tras otro se fueron zambullendo también; el agua les cubrió la cabeza, pero enseguida volvieron a salir a flote y se pusieron a nadar tan lindamente.

Las patitas se movían por sí solas y todos chapoteaban, incluso el último polluelo gordote y feo.
— Pues no es pavo —dijo la madre—. ¡Fíjate cómo mueve las patas, y qué bien se sostiene! Es hijo mío, no hay duda. En el fondo, si bien se mira, no tiene nada de feo, al contrario.

¡Cuac, cuac! Venid conmigo, os enseñaré el gran mundo, os presentaré a los patos del corral. Pero no os alejéis de mi lado, no fuese que alguien os atropellase; y ¡mucho cuidado con el gato!
Y se encaminaron al corral de los patos, donde había un barullo espantoso, pues dos familias se disputaban una cabeza de anguila. Y al fin fue el gato quien se quedó con ella.

— ¿Veis? Así va el mundo —dijo la gansa madre, afilándose el pico, pues también ella hubiera querido pescar el botín—. ¡Servíos de las patas! y a ver si os despabiláis. Id a hacer

una reverencia a aquel pato viejo de allí; es el más ilustre de todos los presentes; es de raza española, por eso está tan gordo.

Ved la cinta colorada que lleva en la pata; es la mayor distinción que puede otorgarse a un pato. Es para que no se pierda y para que todos lo reconozcan, personas y animales.

¡Ala, sacudiros! No metáis los pies para dentro. Los patitos bien educados andan con las piernas esparrancadas, como papá y mamá. ¡Así!, ¿veis? Ahora inclinad el cuello y decir: « ¡cuac!».

Todos obedecieron, mientras los demás gansos del corral los miraban, diciendo en voz alta:
—¡Vaya! sólo faltaban éstos; ¡como si no fuésemos ya bastantes! Y, ¡qué asco! Fijaos en aquel pollito: ¡a ése sí que no lo toleramos! —. Y enseguida se adelantó un ganso y le propinó un picotazo en el pescuezo.

— ¡Déjalo en paz! —exclamó la madre—.
No molesta a nadie.
—Sí, pero es gordote y extraño —replicó el agresor—; habrá que sacudirlo.
—Tiene usted unos hijos muy guapos, señora —dijo el viejo de la pata vendada—. Lástima de este gordote; ése sí que es un fracaso.

Me gustaría que pudiese retocarlo.

—No puede ser, Señoría —dijo la madre—.
Cierto que no es hermoso, pero tiene buen

corazón y nada tan bien como los demás; incluso diría que mejor.

Me figuro que al crecer se arreglará, y que con el tiempo perderá volumen. Estuvo muchos días en el huevo, y por eso ha salido demasiado robusto —Y con el pico le pellizcó el pescuezo y le alisó el plumaje —. Además, es macho —prosiguió—, así que no importa gran cosa.

Estoy segura de que será fuerte y se despabilará.

—Los demás polluelos son encantadores de veras —dijo el viejo—. Considérese usted en casa; y si encuentra una cabeza de anguila, haga el favor de traérmela.

Y de este modo tomaron posesión de la casa.

El pobre patito feo no recibía sino picotazos y empujones, y era el blanco de las burlas de todos, lo mismo de los gansos que de las gallinas.

«¡Qué ridículo!», se reían todos, y el pavo, que por haber venido al mundo con espolones se creía el emperador, se henchía como un barco a toda vela y arremetía contra el patito, con la cabeza colorada de rabia.

El pobre animalito nunca sabía dónde

meterse; estaba muy triste por ser feo y porque era la chacota de todo el corral.

Así transcurrió el primer día; pero en los sucesivos las cosas se pusieron aún peor. Todos acosaban al patito; incluso sus hermanos lo trataban brutalmente, y no cesaban de gritar:

— ¡Así te pescara el gato, bicho asqueroso!; y hasta la madre deseaba perderlo de vista. Los patos lo picoteaban; las gallinas lo golpeaban, y la muchacha encargada de repartir el alimento lo apartaba a puntapiés.

Al fin huyó, saltando la cerca; los pajarillos de la maleza se echaron a volar, asustados. « ¡Huyen porque soy feo!», dijo el pato, y, cerrando los ojos, siguió corriendo a ciegas.

Así llegó hasta el gran pantano, donde habitaban los patos salvajes; cansado y dolorido, pasó allí la noche.

Por la mañana, los patos salvajes, al levantar el vuelo, vieron a su nuevo compañero: — ¿Quién eres? —le preguntaron, y el patito, volviéndose en todas direcciones, los saludó a todos lo mejor que supo.

— ¡Eres un espantajo! —exclamaron los

patos—. Pero no nos importa, con tal que no te cases en nuestra familia —.

¡El infeliz! Lo último que pensaba era en casarse, dábase por muy satisfecho con que le permitiesen echarse en el cañaveral y beber un poco de agua del pantano.

Así transcurrieron dos días, al cabo de los cuales se presentaron dos gansos salvajes, machos los dos, para ser más precisos. No hacía mucho que habían salido del cascarón; por eso eran tan impertinentes.

—Oye, compadre —le dijeron—, eres tan feo que te encontramos simpático. ¿Quieres venirte con nosotros y emigrar? Cerca de aquí, en otro pantano, viven unas gansas salvajes muy amables, todas solteras, y saben decir « ¡cuac!». A lo mejor tienes éxito, aun siendo tan feo.

¡Pim, pam!, se oyeron dos estampidos: los dos machos cayeron muertos en el cañaveral,   y el agua se tiñó de sangre. ¡Pim, pam!, volvió a retumbar, y grandes bandadas de gansos salvajes alzaron el vuelo de entre la maleza, mientras se repetían los disparos.

Era una gran cacería; los cazadores rodeaban el cañaveral, y algunos aparecían sentados en las ramas de los árboles que lo dominaban; se formaban nubecillas azuladas por entre el espesor del ramaje, cerniéndose por encima del agua, mientras los perros nadaban en el pantano, ¡Plas, plas!, y juncos y cañas se inclinaban de todos lados.

¡Qué susto para el pobre patito! Inclinó la cabeza para meterla bajo el ala, y en aquel mismo momento vio junto a sí un horrible perrazo con medio palmo de lengua fuera y una expresión atroz en los ojos.

Alargó el hocico hacia el patito, le enseñó

los agudos dientes y, ¡plas, plas! se alejó sin cogerlo.

— ¡Loado sea Dios! —suspiró el pato—.

¡Soy tan feo que ni el perro quiso morderme!
Y se estuvo muy quietecito, mientras los perdigones silbaban por entre las cañas y seguían sonando los disparos.

Hasta muy avanzado el día no se restableció la calma; mas el pobre seguía sin atreverse a salir.
Esperó aún algunas horas: luego echó un vistazo a su alrededor y escapó del pantano a toda la velocidad que le permitieron sus patas. Corrió a través de campos y prados, bajo una tempestad que le hacía muy difícil la huida.

Al anochecer llegó a una pequeña choza de campesinos; estaba tan ruinosa, que no sabía de qué lado caer, y por eso se sostenía en pie.

El viento soplaba con tal fuerza contra el patito, que éste tuvo que sentarse sobre la cola para afianzarse y no ser arrastrado.
La tormenta arreciaba más y más. Al fin, observó que la puerta se había salido de uno de los goznes y dejaba espacio para colarse en el interior; y esto es lo que hizo.
Vivía en la choza una vieja con su gato y

su gallina. El gato, al que llamaba «hijito», sabía arquear el lomo y ronronear, e incluso desprendía chispas si se le frotaba a contrapelo.

La gallina tenía las patas muy cortas, y por eso la vieja la llamaba «tortita pati¬corta»; pero era muy buena ponedora, y su dueña la quería como a una hija.

Por la mañana se dieron cuenta de que había llegado un forastero, y el gato empezó a ron-ronear, y la gallina, a cloquear.

— ¿Qué pasa? —dijo la vieja mirando a su alrededor. Como no veía bien, creyó que era un ganso cebado que se habría extraviado—. ¡No se cazan todos los días! —exclamó—.

Ahora tendré huevos de pato. ¡Con tal que no sea un macho! Habrá que probarlo.

Y puso al patito a prueba por espacio de tres semanas; pero no salieron huevos. El gato era el mandamás de la casa, y la gallina, la señora, y los dos repetían continuamente: — ¡Nosotros y el mundo!

— Convencidos de que ellos eran la mitad del universo, y aún la mejor.

El patito pensaba que podía opinarse de otro modo, pero la gallina no le dejaba hablar.

— ¿Sabes poner huevos? —le preguntó.

— No.— ¡Entonces cierra el pico!

Y el gato:— ¿Sabes doblar el espinazo y ronronear y echar chispas?—No.

—Entonces no puedes opinar cuando hablan personas de talento.

El patito fue a acurrucarse en un rincón, malhumorado. De pronto acordóse del aire libre y de la luz del sol, y le entraron tales deseos

22

de irse a nadar al agua, que no pudo reprimirse y se
lo dijo a la gallina.

— ¿Qué mosca te ha picado? —le replicó ésta—.
Como no tienes ninguna ocupación, te entran estos

antojos. ¡Pon huevos o ronronea, verás como se te pasan!

— ¡Pero es tan hermoso nadar! —insistió el patito—. ¡Da tanto gusto zambullirse de cabeza hasta tocar el fondo!

— ¡Hay gustos que merecen palos! —respondió la gallina—. Creo que has perdido la chaveta. Pregunta al gato, que es la persona más sabia que conozco, si le gusta nadar o zambullirse en el agua. Y ya no hablo de mí. Pregúntalo si quieres a la dueña, la vieja; en el mundo entero no hay nadie más inteligente. ¿Crees que le apetece nadar y meterse en el agua?

— ¡No me comprendéis! —suspiró el patito.

— ¿Qué no te comprendemos? ¿Quién lo hará, entonces? No pretenderás ser más listo que el gato y la mujer, ¡y no hablemos ya de mí! No tengas esos humos, criatura, y da gracias al Creador por las cosas buenas que te ha dado. ¿No vives en una habitación bien calentita, en compañía de quien puede enseñarte mucho? Pero eres un charlatán y no da gusto tratar contigo. Créeme, es por tu bien que te digo cosas desagradables; ahí se conoce a los

verdaderos amigos.
Procura poner huevos o ron-
ronear, o aprende a despe-
dir chispas.

—Creo que me marcharé
por esos mundos de Dios
—dijo el patito.

—Es lo mejor que pue-
des hacer —respondió le
la gallina.

Y el patito se marchó; se
fue al agua, a nadar y zam-
bullirse, pero, todos los animales lo despreciaban
por su fealdad.

Llegó el otoño: en el bosque, las hojas se volvieron amarillas y pardas, y el viento las arrancaba y
arremolinaba, mientras el aire iba enfriándose por
momentos; cernían se las nubes, llenas de granizo
y nieve, y un cuervo, posado en la valla, gritaba:
«¡au, au!».

De puro frío. Sólo de pensarlo le entran a uno es-
calofríos. El pobre patito lo pasaba muy mal,
realmente.

Un atardecer, cuando el sol se ponía ya, llegó

toda una bandada de grandes y magníficas aves, que salieron de entre los matorrales; nunca había visto nuestro pato aves tan espléndidas.

Su blancura deslumbraba y tenían largos y flexibles cuellos; eran cisnes. Su chillido era extraordinario, y, desplegando las largas alas majestuosas, emprendieron el vuelo, marchándose de aquellas tierras frías hacia otras más cálidas y hacia lagos despejados.

Elevandose a gran altura, y el feo patito experimentó una sensación extraña; giró en el agua como una rueda, y, alargando el cuello hacia ellas, soltó un grito tan fuerte y raro, que él mismo se asustó.

¡Ay!, no podía olvidar aquellas aves hermosas y felices, y en cuanto dejó de verlas, se hundió hasta el fondo del pantano.

Al volver a la superficie estaba como fuera de sí. Ignoraba su nombre y hacia donde se dirigían, y, no, obstante, sentía un gran afecto por ellas, como no lo había sentido, por nadie.

No las envidiaba. ¡Cómo se le hubiera podido ocurrir el deseo de ser como ellas! Habríase dado por muy satisfecho con que lo hubie-

sen tolerado los patos, ¡pobrecillo!, feo como era.
Era invierno, y el frío arreciaba; el patito se veía
forzado a nadar sin descanso para no entumecer-
se; mas, por la noche, el agujero en que flotaba se
reducía progresivamente.

Helaba tanto, que se podía oír el crujido del hielo; el
animalito tenía que estar moviendo constantemente
las patas para impedir que se cerrase el agua, has-

ta que lo rindió el cansancio, y, al quedarse quieto, lo aprisionó el hielo.

Por la mañana llegó un campesino, y, al darse cuenta de lo ocurrido, rompió el hielo con un zueco y, cogiendo el patito, lo llevó a su mujer. En la casa se reanimó el animal.

Los niños querían jugar con él, pero el patito, creyendo que iban a maltratarlo, saltó asustado en medio de la lechera, salpicando de leche toda la habitación.

La mujer se puso a gritar y a agitar las manos, con lo que el ave se metió de un salto en la mantequera, y, de ella, en el jarro de la leche ¡y yo qué sé dónde!

¡Qué confusión! La mujer lo perseguía gritando y blandiendo las tenazas; los chiquillos corrían, saltando por encima de los trastos, para cazarlo, entre risas y barullo.

Suerte que la puerta estaba abierta y pudo refugiarse entre las ramas, en la nieve recién caída. Allí se quedó, rendido.

Sería demasiado triste narrar todas las privaciones y la miseria que hubo de sufrir nuestro patito durante aquel duro invierno.Lo pasó en el pantano, entre las cañas, y allí lo encontró el sol cuando volvió el buen tiempo. Las alondras cantaban, y despertó, espléndida, la primavera.

Entonces el patito pudo batir de nuevo las alas, que zumbaron con mayor intensidad que antes y lo sostuvieron con más fuerza; y antes de que pudiera darse cuenta, encontrose en un gran jardín, donde los manzanos estaban en flor, y las fragantes lilas curvaban sus largas ramas verdes sobre los tortuosos canales.

¡Oh, aquello sí que era hermoso, con el frescor de la primavera! De entre las matas salieron en aquel momento tres preciosos cisnes aleteando y flotando levemente en el agua.

El patito reconoció a aquellas bellas aves y se sintió acometido de una extraña tristeza.

— ¡Quiero irme con ellos, volar al lado de esas aves espléndidas! Me matarán a picotazos por mi osadía: feo como soy, no debería acercarme a ellos. Pero iré, pase lo que pase.

Mejor ser muerto por ellos que verme vejado por los patos, aporreado por los pollos, rechazado por la criada del corral y verme obligado a sufrir privaciones en invierno—.

Con un par de aletazos se posó en el agua, y nadó hacia los hermosos cisnes. Éstos al verle, corrieron a su encuentro con gran ruido de plumas.

— ¡Matadme! —gritó el animalito, agachando la cabeza y aguardando el golpe fatal. Pero, ¿qué es lo que vio reflejado en la límpida agua?

Era su propia imagen; vio que no era un ave desgarbado, torpe y de color negruzco, fea y repelente, sino un cisne como aquéllos.

¡Qué importa haber nacido en un corral de patos, cuando se ha salido de un huevo de cisne!

Entonces recordó con gozo todas las penalidades y privaciones pasadas; sólo ahora comprendía su felicidad, ante la magnificencia que lo rodeaba.

Los cisnes mayores describían círculos a su alrededor, acariciándolo con el pico.

Presentáronse luego en los jardines varios niños y niñas, que echaron al agua pan y grano, y el más pequeño gritó:

— ¡Hay uno nuevo!

Y sus compañeros, alborozados, exclamaron también, haciéndole coro:

— ¡Sí, ha venido uno nuevo!

Y todo fueron aplausos, y bailes, y brincos; y corriendo luego al encuentro de sus padres, volvieron a poco con pan y bollos, que echaron al agua, mientras exclamaban:

— El nuevo es el más bonito; ¡tan joven y precioso!—. Y los cisnes mayores se inclinaron ante él.

Pero él se sentía avergonzado, y ocultó la cabeza bajo el ala; no sabía qué hacer, ¡era tan feliz!, pero ni pizca de orgulloso.

Recordaba las vejaciones y persecuciones de que había sido objeto, y he aquí que ahora decían que era la más hermosa entre las aves hermosas del mundo.

Hasta las lilas bajaron sus ramas a su encuentro, y el sol brilló, tibio y suave. Crujieron entonces sus plumas, irguióse su esbelto cuello y, rebosante el corazón, exclamó:

— ¡Cómo podía soñar tanta felicidad, cuando no era más que un patito feo!

LAS HADAS

Charles Perrault

Érase una viuda que te-
nía dos hijas; la mayor
se le parecía tanto en
el carácter y en el fí-
sico, que quien veía
a la hija, le parecía ver
a la madre.

Ambas eran tan desagradables
y orgullosas que no se podía vi-
vir con ellas. La menor, ver-
dadero retrato de su padre por su dulzura y
suavidad, era además de una extrema

belleza. Como por naturaleza amamos a quien se nos parece, esta madre tenía locura por su hija mayor y a la vez sentía una aversión atroz por la menor. La hacía comer en la cocina y trabajar sin

cesar.

Entre otras cosas, esta pobre niña tenía que ir dos veces al día a buscar agua a una media legua de la casa, y volver con una enorme jarra llena.

Un día que estaba en la fuente, se le acercó una pobre mujer rogándole que le diese de beber.

—Como no, mi buena señora —dijo la hermosa niña.

Y enjuagando de inmediato su jarra, sacó agua del mejor lugar de la fuente y se la ofreció, sosteniendo siempre la jarra para que bebiera más cómodamente.

La buena mujer, después de beber, le dijo:

—Eres tan bella, tan buena y, tan amable, que no puedo dejar de hacerte un don -pues era un hada que había tomado la forma de una pobre aldeana para ver hasta donde llegaría la gentileza de la joven-.

Te concedo el don, prosiguió el hada, de que por cada palabra que pronuncies saldrá de tu boca una flor o una piedra preciosa.

Cuando la hermosa joven llegó a casa, su madre la reprendió por regresar tan tarde de la fuente.

—Perdón, madre mía, dijo la pobre muchacha, por haberme demorado; y al decir estas palabras, le salieron de la boca dos rosas, dos perlas y dos grandes diamantes.

— ¡Qué estoy viendo!, dijo su madre, llena de asombro; ¡parece que de la boca le salen perlas y diamantes! ¿Cómo es eso, hija mía?

Era la primera vez que le decía hija.

La pobre niña le contó ingenuamente todo lo que le había pasado, no sin botar una infinidad de diamantes.

—Verdaderamente, dijo la madre, tengo que mandar a mi hija; mirad, Fanchon, mirad lo que sale de la boca de vuestra hermana cuando habla; ¿no os gustaría tener un don semejante? Bastará con que vayáis a buscar agua a la fuente, y cuando una pobre mujer os pida de beber, ofrecerle muy gentilmente.

— ¡No faltaba más! respondió groseramente la joven, ¡ir a la fuente!

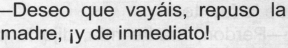

—Deseo que vayáis, repuso la madre, ¡y de inmediato!

Ella fue, pero siempre refunfuñando. Tomó el más hermoso jarro de plata de la casa.

No hizo más que llegar a la fuente y vio salir del bosque a una dama magníficamente ataviada que vino a pedirle de beber: era la misma hada que se había aparecido a su hermana, pero que se presentaba bajo el aspecto y con las ropas de una princesa, para ver hasta dónde llegaba la maldad de esta niña.

— ¿Habré venido acaso, le dijo esta grosera mal criada, para daros de beber? ¡Justamente, he traído un jarro de plata nada más que para dar de beber a su señoría! De acuerdo, bebed directamente, si queréis.

—No sois nada amable, repuso el hada, sin irritarse; ¡está bien! ya que sois tan poco atenta, os otorgo el don de que a cada palabra que pronunciéis, os salga de la boca una serpiente o un sapo.

La madre no hizo más que divisarla y le gritó:

— ¡Y bien, hija mía!

— ¡Y bien, madre mía! respondió la malvada echando dos víboras y dos sapos.

— ¡Cielos!, exclamó la madre, ¿qué estoy viendo? ¡Su hermana tiene la culpa, me las pagará! y corrió a pegarle. La pobre niña arrancó y fue a refugiarse en el bosque cercano.

El hijo del rey, que regresaba de la caza, la encontró y viéndola tan hermosa le preguntó qué hacía allí sola y por qué lloraba.

— ¡Ay!, señor, es mi madre que me ha echado de la casa.

El hijo del rey, que vio salir de su boca cinco o seis perlas y otros tantos diamantes, le rogó que le dijera de dónde le venía aquello.

Ella le contó toda su aventura.

El hijo del rey se enamoró de ella, y considerando que semejante don valía más que todo lo que se pudiera ofrecer al otro en matrimonio, la llevó con él al palacio de su padre, donde se casaron.

En cuanto a la hermana, se fue haciendo tan odiable, que su propia madre la echó de la

casa; y la infeliz, después de haber ido de una
parte a otra sin que nadie quisiera recibirla,
se fue a morir al fondo del bosque.

PULGARCITO

Hermanos Grimm

Era una familia muy humilde que tenía siete hijos, todos varones, uno de los cuales era tan pequeño, tan pequeño que no era más grande que un dedo pulgar. Por eso lo llamaron Pulgarcito. El padre de Pulgarcito cortaba leña para venderla en las casas del pueblo. Cuando iba a la montaña a escoger los árboles para cortar y a recoger las ramas secas que se desprendían lo acompañaban sus hijos quienes iban por el camino jugando, cantando y riendo.

Para que no se perdieran, Pulgarcito iba colocando piedritas blancas en el camino que posteriormente le servirían de orientación para regresar a la cabaña.

Los días en que iban a cortar leña resultaban muy agradables y divertidos para todos. De esta manera el trabajo no resultaba tan extenuante.

Y siempre el papá contaba con la seguridad de que no se perderían porque Pulgarcito encontraba el camino de regreso.

Un cierto día, la leña empezó a escasear y tuvieron que ir al monte a traerla.

Los niños decidieron ir solos y le pidieron a su padre que descansara un poco en la casa, ya que esa semana había tenido que realizar muchas labores.

Esa mañana se levantaron tan presurosos que casi no se alcanzan a tomar el desayuno que les había preparado la mamá.

Tampoco tuvo tiempo Pulgarcito de buscar piedras blancas para señalar el camino.

Entonces no tuvo más remedio que echarse unas migas de pan al bolsillo. Cuando partieron y se internaron en el bosque,

Pulgarcito fue arrojando las migas de pan como si fueran piedras.

Cuando ya la tarde empezaba a caer y con suficiente leña empezaron el regreso a casa, seguros de que se orientarían por las migas de pan que había dejado Pulgarcito.

Sin embargo, pronto se dieron cuenta que los pajaritos se habían comido el pan y que no había señales para regresar.

Empezaron a dar vueltas tratando de orientarse por el Sol, pero ya éste se había ido. Totalmente perdidos sintieron mucho miedo; además estaban asustados, con frío y muertos del hambre.

Cuando ya su desesperación se hacía mayor, llegaron a una casa tan grande. Pulgarcito golpeó. Salió una señora muy bondadosa y ellos le dijeron:

—Por favor, señora, estamos perdidos... Y Pulgarcito le contó la historia y le dijo que le diera posada porque no querían morir de frío o devorados por los lobos.

La mujer, bastante preocupada, también dejó ver su angustia.

—Lo siento; no pueden quedarse aquí,

porque todas las noches viene un ogro feroz y si los encuentra, con toda seguridad los devorará.

Pulgarcito, mirándola a los ojos le respondió:
—No importa, señora, por favor déjenos quedar-
nos mientras amanece. Usted puede escon-
dernos donde no nos pueda encontrar el ogro.

Como la señora era tan bondadosa, se compade-
ció de los muchachos y finalmente los dejó que-
dar en la casa. Les arregló la cama más grande
que tenía en el piso más alto donde no vivía nadie
y donde seguramente el ogro no los encontraría.

Todos los chicos estaban durmiendo, descansando y recuperando las fuerzas perdidas esa tarde,
cuando de un momento a otro llegó el ogro a la
casa. De un golpe cerró la puerta principal de la
casa y gritó, con una voz tan fuerte que retumba-
ron los espejos.
—Aquí hay niños escondidos. Siento su olor.
¿Dónde están? Me los voy a comer.

Y el ogro que tenía una cara enorme y unos dientes afilados empezó a buscar por todos los rin-
cones de la casa. Pero la mujer le dijo:

—Cómetelos mañana. Hoy ya es muy tarde

y estoy cansada para preparar los alimentos.
El ogro la miró con sus ojos de fuego, pero
reflexionó un poco y luego dijo:

—Está bien, me los prepararás al desayuno.
Pulgarcito, que había escuchado todo, pues se
había despertado apenas el ogro entró a la casa;
pero no quiso despertar a sus hermanos que dor-
mían a pierna suelta.

Entonces antes del amanecer, cuando apenas los
gallos empiezan sus cantos para traer la mañana,
Pulgarcito despertó a sus hermanos y les contó
todo.
Para engañar al ogro buscaron unas cobijas viejas que había en un armario y unas almohadas
e hicieron figuras que parecían humanas coloca-
das entre las sábanas. Luego salieron corriendo
por el camino.

Cuando el ogro despertó y se acordó que lo es-
peraba un magnífico desayuno, sospechó que los
niños estaban en el cuarto de San Alejo.
Subió hasta allí y sigilosamente vio entre las pe-
numbras los bultos que habían dejado los niños.

El ogro pensó: "No los voy a despertar ahora.
Me prepararé para engullirlos más tarde".
Y cuando el ogro quiso desayunar, después

de decirle a la mujer que ya tenía hambre, volvió al cuarto y descubrió el engaño.

Furioso se calzó las botas mágicas que tenía y con las cuales podía avanzar siete leguas con cada paso. Echando espuma por la boca se lanzó en persecución de los niños.

Por su parte, los niños que habían ganado bastante distancia de la casa del ogro, estaban descansando junto a un arroyuelo: Pero de pronto vieron que el gigante se acercaba peligrosamente por entre el bosque.

Pulgarcito vio una enorme roca detrás de la cual había una cueva disimulada entre unas ramas y le dijo a sus hermanos que se escondieran allí. El ogro llegó al riachuelo. Husmeó el aire y dijo:

—Huelo a esos pequeños. Deben estar por aquí. Ya no hay prisa. Son míos.

Y como las botas le quedaban un tanto pequeñas, lo que le había producido un callo que le dolía mucho, se recostó contra un árbol y se quitó las botas.

—Descansaré un rato y luego buscaré a

esos muchachos que pronto serán mi desayuno.
Y como el ogro era muy dormilón pronto quedó
profundo. Sólo se escuchaba el fuerte ron-
quido y su agitada respiración.

Entonces, Pulgarcito al verlo dormido, salió de su escondite y sigilosamente se acercó al gigante y, sin que el ogro lo olfateara pues era tan profundo su sueño, se puso las botas mágicas y noto que de inmediato le quedaron buenas, pues como eran mágicas tenían la particularidad de adaptarse a

cualquier pie.

Pulgarcito se dio cuenta que con cada paso avanzaba mucho trayecto. Decidió irse a la casa del ogro y se dirigió a un cuarto que por la mañana, cuando escapó con sus hermanos, había visto entre abierto y dentro del cual

había una gran cantidad de
monedas de oro y piedras
preciosas.

Efectivamente, en el cuarto encontró unos baúles
repletos de cadenas, ani-
llos con incrustaciones de
esmeraldas, monedas de
oro y plata.

Pulgarcito llenó un enor-
me saco con parte de ese
tesoro y salió corriendo de
allí, dando enormes saltos
con las botas mágicas, en
busca de sus hermanos.

Cuando llegó al riachuelo, encontró que el gigante
aún estaba durmiendo y roncando, tan fuerte que
hacía temblar la tierra.

Los hermanos de Pulgarcito estaban asustados en
la cueva en cuya entrada el gigante había puesto
una mano, impidiendo la salida.

Pulgarcito entonces tomó una pequeña rama
y se la acercó con suavidad a la nariz del

gigante, quien al sentir las cosquillas, se re-
volvió un poco y con la mano que tenía se
rascó la nariz.

Ese instante fue aprovechado por los hermanos de Pulgarcito para salir de la cueva.

Pulgarcito tomó de la mano a sus hermanos y todos se maravillaban de los grandes pasos que daba Pulgarcito.

Las botas mágicas tenían la particularidad de hacer que las personas que estuvieran agarradas de la mano de quien las llevara puestas también avanzaran siete leguas.

Como ya era de día y descubrieron el lugar por donde salía el Sol, se pudieron orientar para llegar a su humilde casa. Allí encontraron a su padre que la tarde anterior se había cansado de buscarlos y que ahora se disponía a iniciar la búsqueda de nuevo.

Pulgarcito llegó con sus botas y sus bolsillos llenos de oro, que les sirvió para mejorar su situación económica y todos vivieron felices por siempre.

Y por ahí cuentan los leñadores, que de vez en cuando en el bosque se escucha la voz de un ogro que maldice y se queja de sus callos, sin que hasta ahora haya encontrado remedio para ello...

EL GATO CON BOTAS

Charles Perrault

Un molinero dejó, como única herencia a sus tres hijos, su molino, su burro y su gato. El reparto fue bien simple: no se necesitó llamar ni al abogado ni al notario. Habrían consumido todo el pobre patrimonio.

El mayor recibió el molino, el segundo se

quedó con el burro y al menor le tocó sólo el gato. Éste se lamentaba de su mísera herencia:

—Mis hermanos —decía— podrán ganarse la vida convenientemente trabajando juntos; lo que es yo, después de comerme a mi gato y de hacerme un manguito con su piel, me moriré de hambre.

El gato, que escuchaba estas palabras dijo en tono serio y pausado:

—No debéis afligiros, mi señor, no tenéis más que proporcionarme una bolsa y un par de botas para andar por entre los matorrales, y veréis que vuestra herencia no es tan pobre como pensáis.

Aunque el amo del gato no abrigara sobre esto grandes ilusiones, le había visto dar tantas muestras de agilidad para cazar ratas y ratones, como colgarse de los pies o esconderse en la harina para hacerse el muerto, que no desesperó de verse socorrido por él en su miseria.

Cuando el gato tuvo lo que había pedido, se colocó las botas y echándose la bolsa al cuello, sujetó los cordones de ésta con las dos patas delanteras, y se dirigió a un campo donde había muchos conejos.

Puso afrecho y hierbas en su saco y tendiéndose en el suelo como si estuviese muerto, aguardó a que algún conejillo, poco conocedor aún de las astucias de este mundo, viniera a meter su hocico en la bolsa para comer lo que había dentro.

No bien se hubo recostado, cuando se vio satisfecho. Un atolondrado conejillo se metió en el saco y el maestro gato, tirando los cordones, lo encerró y lo mató sin misericordia.

Muy ufano con su presa, fuese donde el rey y pidió hablar con él. Lo hicieron subir a los aposentos de su Majestad donde, al entrar, hizo una gran reverencia ante el rey, y le dijo:

—He aquí, Majestad, un conejo de campo que el señor Marqués de Carabas me ha encargado obsequiaros de su parte.

—Dile a tu amo, respondió el Rey, que le doy las gracias y que me agrada mucho.

En otra ocasión, se ocultó en un trigal, dejando siempre su saco abierto; y cuando en él entraron dos perdices, tiró los cordones y las cazó a ambas.

Fue en seguida a ofrendarlas al Rey, tal como había hecho con el conejo de campo. El Rey recibió también con agrado las dos perdices, y ordenó que le diesen de beber.

El gato continuó así durante dos o tres meses llevándole de vez en cuando al Rey productos de caza de su amo. Un día supo que el Rey iría a pasear a orillas del río con su hija, la más hermosa princesa del mundo, y le dijo a su amo:

—Sí queréis seguir mi consejo, vuestra fortuna

está hecha: no tenéis más que bañaros en el río, en el sitio que os mostraré, y en seguida yo haré lo demás.

El Marqués de Carabás hizo lo que su gato le aconsejó, sin saber de qué serviría. Mientras se estaba bañando, el Rey pasó por ahí, y el gato se puso a gritar con todas sus fuerzas:

— ¡Socorro, socorro! ¡El señor Marqués de Carabás se está ahogando!

Al oír el grito, el Rey asomó la cabeza por la portezuela y, reconociendo al gato que tantas veces le había llevado caza, ordenó a sus guardias que acudieran rápidamente a socorrer al Marqués de Carabás.

En tanto que sacaban del río al pobre Marqués, el gato se acercó a la carroza y le dijo al Rey que mientras su amo se estaba bañando, unos ladrones se habían llevado sus ropas pese a haber gritado ¡al ladrón! con todas sus fuerzas; el pícaro del gato las había escondido debajo de una enorme piedra.

El Rey ordenó de inmediato a los encargados de su guardarropa que fuesen en busca de sus más bellas vestiduras para el señor Marqués de Carabás.

El Rey le hizo mil atenciones, y como el hermoso traje que le acababan de dar realzaba su figura, ya que era apuesto y bien formado, la hija del Rey lo encontró muy de su agrado;

bastó que el Marqués de Carabás le dirigiera
dos o tres miradas sumamente respetuosas
y algo tiernas, y ella quedó locamente ena-

morada. El Rey quiso que subiera a su carroza y lo acompañara en el paseo. El gato, encantado al ver que su proyecto empezaba a resultar, se adelantó, y

habiendo encontrado a unos campesinos que segaban un prado, les dijo:

—Buenos segadores, si no decís al Rey que el prado que estáis segando es del Marqués de Carabás, os haré picadillo como carne de budín.

Por cierto que el Rey preguntó a los segadores de quién era ese prado que estaban segando.

—Es del señor Marqués de Carabás —dijeron a una sola voz, puesto que la amenaza del gato los había asustado.

—Tenéis aquí una hermosa heredad —dijo el Rey al Marqués de Carabás.

—Veréis, Majestad, es una tierra que no deja de producir con abundancia cada año.

El maestro gato, que iba siempre delante, encontró a unos campesinos que cosechaban y les dijo:

—Buena gente que estáis cosechando, si no decís que todos estos campos pertenecen al Marqués de Carabás, os haré picadillo como carne de budín.

El Rey, que pasó momentos después, quiso saber a quién pertenecían los campos que veía.

—Son del señor Marqués de Carabás, contestaron los campesinos, y el Rey nuevamente se alegró con Marqués.

El gato, que iba delante de la carroza, decía siempre lo mismo a todos cuantos encontraba; y el Rey estaba muy asombrado con las riquezas del señor Marqués de Carabas.

El maestro gato llegó finalmente ante un hermoso castillo cuyo dueño era un ogro, el más rico que jamás se hubiera visto, pues todas las tierras por donde habían pasado eran dependientes de este castillo.

El gato, que tuvo la precaución de informarse acerca de quién era este ogro y de lo que sabía hacer, pidió hablar con él, diciendo que no había querido pasar tan cerca de su castillo sin tener el honor de hacerle la reverencia.

El ogro lo recibió en la forma más cortés que puede hacerlo un ogro y lo invitó a descansar.

—Me han asegurado —dijo el gato— que vos tenías el don de convertiros en cualquier clase de animal; que podíais, por ejemplo, transformaros en león, en elefante.

—Es cierto —respondió el ogro con brusquedad— y para demostrarlo veréis cómo me convierto en león.

El gato se asustó tanto al ver a un león delante de él que en un santiamén se trepó a las canaletas, no sin pena ni riesgo a causa de las botas que nada servían para andar por las tejas.

Algún rato después, viendo que el ogro había recuperado su forma primitiva, el gato bajó y confesó que había tenido mucho miedo.

—Además me han asegurado —dijo el gato— pero no puedo creerlo, que vos también tenéis el poder de adquirir la forma del más pequeño animalillo; por ejemplo, que podéis convertiros en un ratón, en una rata; os confieso que eso me parece imposible.

— ¿Imposible? —Repuso el ogro— ya veréis—; y al mismo tiempo se transformó en una rata que se puso a correr por el piso.
Apenas la vio, el gato se echó encima de ella y se la comió.

Entretanto, el Rey, que al pasar vio el hermoso castillo del ogro, quiso entrar. El gato, al oír el ruido del carruaje que atravesaba el puente levadizo, corrió adelante y le dijo al Rey:
—Vuestra Majestad sea bienvenida al casti-

llo del señor Marqués de Carabás.

— ¡Cómo, señor Marqués —exclamó el rey—este castillo también os pertenece! Nada hay más bello que este patio y todos estos edificios que lo rodean; veamos el interior, por favor.

El Marqués ofreció la mano a la joven Princesa y, siguiendo al Rey que iba primero, entraron a una gran sala donde encontraron una magnífica colación que el ogro había mandado preparar para sus amigos que vendrían a verlo ese mismo día, los cuales no se habían atrevido a entrar, sabiedo que el Rey estaba allí.

El Rey, encantado con las buenas cualidades del señor Marqués de Carabás, al igual que su hija, que ya estaba loca de amor viendo los valiosos bienes que poseía, le dijo, después de haber bebido cinco o seis copas:
—Sólo dependerá de vos, señor Marqués, que seáis mi yerno.

El Marqués, haciendo grandes reverencias, aceptó el honor que le hacia el Rey; y ese mismo día se casó con la Princesa.

El gato se convirtió en gran señor, y ya no corrió tras las ratas sino para divertirse.

CAPERUCITA ROJA

Hermanos Grimm

Érase una vez una pequeña y dulce niña a la que todo el mundo quería, con sólo verla una vez; pero quien más la quería era su abuela, que ya no sabía ni qué regalarle.

En cierta ocasión le regaló una caperuza de terciopelo rojo, y como le sentaba tan bien y la niña no quería ponerse otra cosa, todos la llamaron de ahí en adelante Caperucita

Roja.

Un buen día la madre le dijo:

—Mira Caperucita Roja, aquí tienes una canasta con un trozo de torta, miel, frutas, y unos panes para llevar a la abuela, pues está enferma y débil, y esto la reanimará.

Arréglate antes de que empiece el calor, y cuando te marches, anda con cuidado y no te apartes del camino. Y cuando llegues a su casa, no te olvides de darle los buenos días.

—Lo haré todo muy bien, seguro —asintió Caperucita Roja, besando a su madre.

La abuela vivía lejos, en el bosque, a media hora de la aldea.

Cuando Caperucita Roja llegó al bosque, salió a su encuentro el lobo, pero la niña no se asustó.

— ¡Buenos días, Caperucita Roja! —la saludó el lobo.

— ¡Buenos días, lobo!

— ¿A dónde vas tan temprano, Caperucita Roja? —dijo el lobo.

—A ver a la abuela.

— ¿Qué llevas en tu canastillo?

—Torta, frutas, miel y pan; la abuela está enferma y débil y necesita algo bueno para fortalecerse.

—Dime, Caperucita Roja, ¿dónde vive tu abuela?

—Hay que caminar todavía un buen cuarto de hora por el bosque; su casa se encuentra bajo las tres grandes encinas; pero eso, ya lo sabrás —dijo Caperucita Roja.

El lobo pensó: "Esta joven y delicada cosita será un suculento bocado, y mucho más apetitoso que la vieja. Haz de comportarte

con astucia si quieres atrapar y tragar a las dos".
Entonces acompañó un rato a la niña y luego le
dijo:

—Caperucita Roja, mira esas hermosas flores que te rodean; sí, pues, ¿por qué no miras a tu alrededor?; me parece que no estás escuchando el melodioso canto de los pajarillos, ¿no es verdad? Andas ensimismada como si fueras a la escuela, ¡y es tan divertido corretear por el bosque!

Caperucita Roja abrió mucho los ojos, y al mirar cuántas preciosas flores había, pensó: "Si llevo a la abuela un ramo de flores frescas se alegrará". Y apartándose del camino se adentró en el bosque en busca de flores. Y el lobo se marchó directamente a casa de la abuela y golpeó a la puerta.

— ¿Quién es?
—Soy Caperucita Roja, que te trae torta, frutas, miel y pan; ábreme.
—No tienes más que girar el picaporte —gritó la abuela—; yo estoy muy débil y no puedo levantarme.
El lobo giró el picaporte, la puerta se abrió de par en par, y sin pronunciar una sola palabra, fue derecho a la cama donde yacía la abuela y se la tragó.
Entonces, se puso las ropas de la abuela y

se metió en la cama de la abuela.
Caperucita Roja se había dedicado entretanto a buscar flores; entonces se acordó de nuevo de la abuela y se encaminó a su casa.

Se asombró al encontrar la puerta abierta y, al entrar en el cuarto, todo le pareció tan extraño que pensó: ¡Oh, Dios mío, qué miedo siento hoy y cuánto me alegraba siempre que veía a la abuela!". Y dijo:

—Buenos días, abuela.

Pero no obtuvo respuesta. Entonces se acercó a la cama, y volvió a abrir las cortinas; allí yacía la abuela, con la gorra de dormir bien calada en la cabeza, y un aspecto extraño.

—Oh, abuela, ¡qué orejas tan grandes tienes!

—Son para oírte mejor.

—Oh, abuela, ¡qué ojos tan grandes tienes!

—Son para verte mejor.

—Oh, abuela, ¡qué manos tan grandes tienes!

—Son para agarrarte mejor.

—Oh, abuela, ¡qué boca tan grandes y tan horrible tienes!

—Son para comerte mejor.

No había terminado de decir esto el lobo, cuando saltó fuera de la cama y engulló a la pobre Caperucita Roja.

Cuando el lobo hubo saciado su voraz apetito, se metió de nuevo en la cama y comenzó a dar sonoros ronquidos.

Acertó a pasar el cazador por delante de la

casa, y pensó: "¡Cómo ronca la anciana!; debo entrar a mirar, no vaya a ser que le pase algo". Entonces, entró a la alcoba, y al acercarse a la cama, vio tumbado en ella al lobo.

— ¡Mira dónde vengo a encontrarte, viejo pecador! —Dijo—; hace tiempo que te busco.
Entonces le apuntó con su escopeta, pero de pronto se le ocurrió que el lobo podía haberse comido a la anciana y que tal vez podría salvarla todavía.

Así es que no disparó sino que cogió unas tijeras y comenzó a abrir la barriga del lobo. Al dar un par de cortes, vio relucir la roja caperuza; dio otros cortes más y saltó la niña diciendo:

— ¡Ay, qué susto he pasado, qué oscuro estaba en el vientre del lobo!
Y después salió la vieja abuela, también viva aunque casi sin respiración.

Caperucita Roja trajo inmediatamente grandes piedras y llenó la barriga del lobo con ellas. Y cuando el lobo despertó, quiso dar un salto y salir corriendo, pero el peso de las piedras le hizo caer, se estrelló contra el suelo y se mató.

Los tres estaban contentos. El cazador le arrancó la piel al lobo y se la llevó a casa. La abuela se comió la torta y se tomó la miel que Caperucita Roja había traído. Y Caperucita Roja pensó: "Nunca más me apartaré del camino ni me adentraré en el bosque sola. Siempre haré caso a mi mamá."

DUENDES ZAPATEROS

Hermanos Grimm

Un zapatero, sin que fuera su culpa, había llegado a tal pobreza que al final no le quedaba más que el cuero necesario para un par de zapatos.

Así que al anochecer, hizo los cortes para los zapatos que haría a la mañana siguiente, y como tenía limpia su conciencia, se acostó tranquilamente en su cama, se encomendó a Dios, y se quedó dormido.

En la mañana, después de decir sus oraciones, fue a sentarse a su banquillo para trabajar, y encontró los zapatos finamente terminados sobre la mesa.

Él quedó atónito y no sabía que pensar de aquello. Tomó los zapatos en sus manos para observarlos más de cerca, y estaban tan perfectamente confecionados que no encontró una sola mala puntada, eran toda una obra maestra.

Poco después un comprador llegó, y como le gustaron tanto los zapatos, pagó más que lo de costumbre por ellos, y con ese dinero el zapatero pudo comprar material para dos pares de zapatos.

Hizo los cortes en la noche, y a la mañana siguiente se preparó con fresco coraje para empezar su trabajo.

Pero no tuvo necesidad de eso, porque cuando se levantó ya los encontró hechos, y no tubo que esperar nada por compradores que le pagaron suficiente dinero como para comprar cuero para otros cuatro pares de zapatos.

Y a la mañana siguiente todo se repitió, encontrando los cuatro pares ya hechos.
Todo fue tan constante, que lo que preparaba en la noche amanecía confeccionado al otro día, de modo que pronto tuvo su propia independencia y

llegó a ser un hombre rico.
Y ocurrió que una noche poco antes de Navi-
dad, cuando el hombre había hecho los cor-

tes de los próximos zapatos, le dijo a su esposa, antes de ir a dormir:

— ¿Qué te parece si nos quedamos levantados para ver quién es el que nos da esta mano de ayuda?
A la mujer le gustó la idea, encendió una candela, y se escondieron en una esquina del cuarto entre algunos vestidos que colgaban allí, y esperaron.

Cuando fue medianoche, dos lindos y pequeños hombrecillos desnudos llegaron, se sentaron sobre la mesa del zapatero, cogieron todos los cortes que estaban listos y comenzaron a coser y a martillar con tal habilidad y rapidez con sus pequeños dedos que el zapatero no podía quitar la vista del asombro.

Ellos no pararon hasta tener todo hecho, y al finalizar se levantaron y corriendo rápidamente se alejaron.

A la mañana siguiente la mujer dijo:
—Esos hombrecitos nos han hecho ricos, y realmente debemos de mostrarles que les

estamos muy agradecidos por ello.
Ellos andan así, sin nada encima, y deben sentir frío. Te diré que haré: Coseré para ellos pequeñas camisas, y abrigos, y vestidos, y pantalones, y les tejeré a ambos un par de me-

dias, y tú, hazle un par de zapatitos para cada uno.
El hombre dijo:

—Me encantará ha-
cérselos.

Y una noche, cuando
todo estuvo listo, les
dejaron los regalos
en la mesa en lugar
de los cortes usuales
de los zapatos, y se
escondieron para ver
que harían los hom-
brecitos.

A medianoche llega-
ron ellos resueltos
a trabajar como de costumbre, pero como no encontraron los cueros cortados, sino solamente los
lindos artículos de vestimenta, al principio se sor-
prendieron, y luego más bien mostraron gran com-
placencia.

Se vistieron con gran rapidez, poniéndose encima
los regalos y cantando:

—Ahora somos muchachos lindos para ver,
¿Por qué zapateros hemos de ser?

Ellos bailaron y brincaron, y saltaron sobre sillas y bancos. Al final bailaron fuera de la puerta y se alejaron.

Desde ese entonces no volvieron, pero en el tanto que vivieron el zapatero y su esposa, todo siguió bien con ellos, y todo lo que manejaron prosperó.

ALADINO Y LA LÁMPARA MARAVILLOSA

Las mil una noches

Aladino era un joven que vivía en Oriente Medio. Al morir su padre, su madre tuvo que trabajar sin descanso mientras su hijo crecía en las calles sin oficio.

Un día en el mercado, un anciano le preguntó por su papá, y al saber de su muerte lloró y le dijo:

—Soy tu tío Salim hermano de tu padre. Llévame ante tu madre.

—En realidad era un mago africano.

Aladino lo trasladó a su humilde casa, pero su mamá no tenía que darles de comer.

El mercader les dio unas monedas y les ofreció ayuda porque decía ser muy rico.

— ¿Qué oficio tienes? —le preguntó al muchacho y éste no supo qué decir; entonces su mamá contestó:

—No sabe nada, sólo anda por las calles con sus amigos.

— ¡Pero esto no está bien! Ven conmigo a la India y te ayudaré a poner una tienda de ricas telas.

Por la mañana, partieron en camellos. Viajaron hasta la noche y el mago pidió a Aladino que recogiera leña para el fuego

—Ve y luego te revelaré un secreto —dijo el viejo.

Al rato frente a una enorme fogata el mago comenzó a pronunciar palabras mágicas y extrañas... ¡De repente del fuego, salió una puerta de losa amarilla! Aladino atemorizado quiso huir, pero el mago le ordenó:

— ¡Abre la losa, no te pasará nada y serás recompensado! Baja y atraviesa un jardín. Al final encontrarás una lámpara de aceite colgada. ¡Tráemela!

Aladino encontró la lámpara y dentro de

ella un anillo que se puso en el dedo. Al regresar se llenó los bolsillos de piedras preciosas que pendían de los arbustos del jardín.

Cuando quiso salir del pozo el mago no quiso ayudarle, sólo quería que le diera la lámpara.

Aladino le suplicó que lo sacara pero el mago se puso furioso y le dijo que antes de sacarlo prefería perder los poderes de la lámpara y de un golpe cerró la pequeña puerta.

Entonces todo era oscuridad y frío y el pobre joven comenzó a frotarse las manos para darse calor y como una nube de luz salió del anillo; era un genio que le dijo:

—"Amo haré lo que me ordenes".

Y sin pensarlo mucho Aladino le pidió que lo llevara a la casa de su madre.

En pocos segundos aparecieron allí y le contaron lo sucedido a su madre, esta muy triste dijo:

—Hijo no sé que hacer, ya no queda dinero ni para la comida...

El genio del anillo que estaba oyendo todo se disculpó:

—No puedo, sólo puedo llevarte de un sitio a otro.

La madre entonces decidió vender la lámpara y comenzó a frotarla con un paño para limpiar la suciedad. De repente apareció un horrible genio que con una vos espantosa dijo.

—Soy el esclavo de la lámpara. Ordenen y obedeceré.

A partir de ese día a Aladino y su madre no les faltó nada.

Aladino comenzó a aprender el oficio de comerciante y un día paseando por el mercado vio pasar a la hermosa hija del sultán quien lo enamoró con solo una mirada.

Al llegar a su casa el joven pidió a su madre que llevase las piedras preciosas que hubiera recogido en el jardín y que le pidiese la mano de su hija para poder casarse con ella.

La mamá trató de convencer al sultán pero éste le propuso:

—Si tu hijo construye antes de mañana un espléndido palacio, consentiré esta boda.

Aladino ansioso le pidió al genio de la lámpara que levantara un palacio de mármol y piedras preciosas, con el jardín más bello de todos.

Al día siguiente el sultán quedó impresionado al ver tal palacio y concedió la mano de

su hija al muchacho.

En pocos días se casaron y comenzaron una vida muy feliz.

Pero en África el viejo mago se enteró de que Aladino no había muerto y furioso emprendió su regreso para buscar la lámpara maravillosa.

Al llegar, compró lámparas nuevas y las llevó al palacio:

— ¿Quién cambia lámparas nuevas por viejas? —iba gritando.

La princesa que estaba en el balcón ofreció la vieja lámpara de Aladino al anciano.

Al anochecer el mago hizo aparecer al genio y le ordenó:

—Deseo que me lleves, junto al palacio y la princesa, al África.

El genio arrancó el palacio y lo llevó en sus brazos rápidamente.

El sultán al enterarse sospechó de Aladino, entonces éste tuvo que contarle a su suegro su desgraciada aventura:

—Te perdonaré la vida si antes de cuarenta días y cuarenta noches me traes a mi hija —le dijo el sultán.

El joven estaba desesperado pero se acordó del genio del anillo y lo hizo aparecer y le ordenó que lo llevara junto a la princesa.

Casi sin darse cuenta, aparecieron en África.

El joven encontró a su esposa llorando. Llegó hasta ella y le contó lo sucedido.

— ¿Dónde está la lámpara ahora? —preguntó a la princesa.

—El malvado mago no se separaba ni un segundo de ella.

Entre los dos elaboraron un plan: ella se puso hermosísima e invitó al mago a cenar y cuando éste se entretuvo tomando una copa de vino Aladino aprovechó, recuperó la lámpara y lanzó al viejo por el balcón.

Luego hizo aparecer al genio y le ordenó devolverlos a Oriente junto al palacio.

El sultán y la mamá de Aladino abrazaron felices a sus hijos al verlos llegar.

Organizaron una semana entera de festejos... Aladino llegó a reinar en Oriente y fue feliz con la princesa por mucho tiempo.